Ce livre
appartient à

Si on lisait, mon lapin

Rosemary Wells

Texte français d'Hélène Rioux

Éditions **SCHOLASTIC**

Catalogage avant publication de la
Bibliothèque nationale du Canada

Wells, Rosemary
  Si on lisait, mon lapin / Rosemary Wells ;
  texte français d'Hélène Rioux.

Traduction de: Read to your bunny.
Pour enfants jusqu'à 3 ans.
ISBN 0-439-96612-4

I. Rioux, Hélène, 1949- II. Titre.

PZ23.W453Si 2004   j813'.54   C2003-907426-9

Édition publiée par les Éditions Scholastic, 175 Hillmount Road,
Markham (Ontario) L6C 1Z7.

5 4 3 2 1   Imprimé au Canada   04 05 06 07

Le plus beau cadeau
que l'on puisse offrir à son enfant,
c'est de lire des histoires
avec lui vingt minutes
par jour.

Lisez souvent
des histoires
à votre lapin.

Vous partagerez
vingt minutes
de plaisir.

Vingt minutes
au clair
de lune,

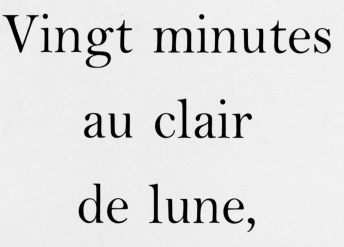

Et vingt minutes au soleil.

Vingt minutes
avec le livre
préféré,

Et vingt

minutes

de nouveauté.

Lisez souvent
des histoires
à votre lapin,

Et...

Votre lapin vous en lira, lui aussi.

NOUS aimons tous nos enfants plus que tout au monde. Les premières années, nous leur donnons à manger pour qu'ils grandissent. Nous les amenons chez le médecin pour les garder en bonne santé. Nous les attachons dans leur siège d'auto pour qu'ils soient en sécurité.

Mais le développement de l'intelligence et de l'esprit est primordial, et cela se produit pendant les premières années de la vie. C'est alors que l'enfant apprend à aimer et à faire confiance, à parler et à écouter.

Après deux ans, il devient très difficile pour lui d'entreprendre cet apprentissage. Faire confiance, chanter, rire et parler sont des choses essentielles dans la vie d'un tout-petit.

Elles doivent donc être tout aussi importantes pour ses parents. Car ces années ne reviendront jamais plus.

Chaque jour, installez-vous avec votre enfant dans un endroit calme et paisible. Prenez-le sur vos genoux et, pendant vingt minutes, lisez un livre à voix haute. Vous trouverez, dans ses pages, un petit espace d'intimité et d'amour profond. Cela ne demandera que vingt minutes de votre temps et une carte de bibliothèque.

Faire la lecture à son enfant, c'est comme déposer des pièces d'or à la banque. Avec le temps, les intérêts s'accumulent. Votre fille apprendra, elle fera travailler son imagination et prendra de l'assurance. Votre fils s'épanouira, et il vous rendra votre amour à jamais.

— R.W.